# CHALEUR ET ÉNERGIE

L'édition originale de cet ouvrage
a paru sous le titre : *Heat and Energy*

70, Old Compton Street, London W1


Adaptation française de F. Carlier

D/1987/0195/4
ISBN 2-7130-0827-1
(édition originale : ISBN 0 86313 382 7)

Exclusivité au Canada :
Éditions du Trécarré, 2973, rue Sartelon,
Ville Saint-Laurent, Qué. H4R 1E6
Dépôts légaux, 1er trimestre 1987,
Bibliothèque nationale du Québec
Bibliothèque nationale du Canada
ISBN 2-89249-191-6

Présentation générale de Cooper-West

Illustrations de Louise Nevett

Conseiller : J.W. Warren Ph.D.,
ancien professeur de physique
à la Brunel University de Londres

Imprimé en Belgique

VISA POUR LA SCIENCE

# CHALEUR ET ÉNERGIE

Kathryn Whyman — François Carlier

Éditions Gamma — Éditions du Trécarré

# INTRODUCTION

Pour faire n'importe quoi, nous avons besoin d'énergie. Nous employons de l'énergie dans toutes nos actions : marcher, courir, rouler en vélo, lire un livre, et même dormir. Il nous faut aussi de l'énergie pour chauffer nos maisons. Les voitures en ont besoin pour rouler ; les avions sont poussés dans l'air par de l'énergie ; les locomotives utilisent de l'énergie pour tirer les wagons sur les rails.

Dans ces activités, l'énergie change constamment de forme et de place. Ainsi la chaleur est une des nombreuses formes de l'énergie, et elle est également un moyen qui permet de déplacer l'énergie d'un endroit vers un autre. Ce livre te fera découvrir ce que sont la chaleur et l'énergie, et d'où vient l'énergie présente sur notre Terre.

# SOMMAIRE

# QU'EST-CE QUE L'ÉNERGIE ?

Tu as déjà entendu et lu souvent le mot « énergie ». Les gens l'emploient parfois pour décrire comment ils se sentent. Ainsi, quelqu'un qui se sent fatigué et sans force dira : « Je n'ai pas d'énergie aujourd'hui. »

Mais dans les sciences, le mot « énergie » a une signification spéciale. Il ne désigne pas quelque chose qu'on peut voir ou sentir : l'énergie est ici une « mesure » qui indique « combien de travail » peut être fait. Lorsque tu déplaces un objet en le poussant ou le tirant, tu effectues un travail. Et pour faire ce travail, tu emploies de l'énergie. Si quelque chose te demande beaucoup de travail, tu utilises plus d'énergie. Une activité longue et violente, par exemple une course à pied, te fera consommer beaucoup d'énergie.

Les machines effectuent aussi du travail. La pelle mécanique de la photo de droite peut charger de grandes quantités de terre dans les camions. Pour ce travail long et difficile, il lui faut beaucoup d'énergie. Elle tire son énergie du carburant et de l'oxygène qui brûlent dans son moteur : ceci lui procure la force nécessaire pour effectuer des mouvements.

Chaque fois que tu fais bouger ton corps, tu utilises de l'énergie.

La pelle mécanique charge de la terre dans les camions à benne.

La récolte d'une moisson qui s'est formée grâce à l'énergie solaire.

# LE CYCLE DE L'ÉNERGIE

Presque toute l'énergie de notre Terre vient du Soleil. Mais avant que nous puissions utiliser cette énergie solaire, elle doit d'ordinaire subir beaucoup de changements, et aussi des déplacements. Cette énergie qui vient du Soleil, comment arrive-t-elle dans notre corps, pour nous permettre de marcher, courir, nager ou rouler en bicyclette ?

Chaque fois que nous mangeons des fruits et légumes, nous fournissons de l'énergie à notre corps : l'énergie provient des produits chimiques qui constituent ces aliments. Le pain est une nourriture de base dans de nombreuses régions du monde : il est fait au moyen d'une plante, le blé. Et d'où vient l'énergie que contient le blé ?

L'énergie du Soleil fait pousser le blé. Grâce à la lumière solaire, le blé peut combiner l'eau, puisée dans le sol par ses racines, avec le gaz carbonique que ses feuilles tirent de l'air : il produit ainsi une matière alimentaire, qui se place dans les grains de blé et arrive dans notre pain. L'énergie du Soleil parvient ainsi jusqu'à nous : quand nous mangeons et digérons du pain, son énergie passe dans notre corps. Ce déplacement de l'énergie fait partie d'un déplacement encore plus large, ou cycle de l'énergie. Ainsi, quand nous mangeons de la viande, nous recevons l'énergie du Soleil par l'intermédiaire des animaux, qui ont mangé les plantes et absorbé ainsi leur énergie.

**La chaîne alimentaire**
Le blé aspire de l'eau par ses racines. Ses feuilles absorbent le gaz carbonique de l'air. Dans la lumière solaire, le blé peut assembler ces matières : il en fait du sucre et de l'amidon (par la « photosynthèse ») et dégage de l'oxygène. Le sucre et l'amidon font grandir la plante et sont stockés dans les grains de blé. Cette nourriture passe dans l'animal qui mange le blé. Le transport de l'énergie du Soleil jusqu'à l'animal, en passant par les plantes, est appelé chaîne alimentaire. L'oxygène respiré permet d'utiliser l'énergie.

# LES CHANGEMENTS DE L'ÉNERGIE

Il semble parfois que l'énergie est consommée, épuisée ou perdue. En réalité, l'énergie ne disparaît jamais et n'est jamais détruite : elle change seulement de forme ou de place. Elle se retrouve toujours sous une autre forme ou ailleurs.

Nous avons déjà vu que l'énergie du Soleil peut passer dans notre nourriture. Mais elle peut également changer de beaucoup d'autres façons.

Quand le Soleil luit, ses rayons chauffent l'air à certaines places plus qu'à d'autres. L'air chauffé se dilate et devient plus léger : il monte, tandis que de l'air froid vient prendre sa place. Ce déplacement de l'air produit le vent. Celui-ci est également une source d'énergie, et il peut exécuter divers travaux. Il fait par exemple tourner les ailes des moulins à vent. Ces ailes effectuent aussi du travail : elles font tourner des meules qui écrasent le blé et en font de la farine. Dans la photo de droite, les ailes de l'éolienne actionnent le mécanisme d'une pompe : celle-ci puise de l'eau dans le sol, pour irriguer des cultures. L'énergie du Soleil a provoqué ainsi tout un enchaînement de divers mouvements.

**Le son**

Quand tu frappes un tambour, l'énergie de ta baguette ou mailloche passe dans la peau tendue du tambour. Celle-ci se met à monter et à descendre rapidement : elle vibre. Des petits pois posés sur la peau montrent ce mouvement : ils « dansent ». L'énergie de la peau se transmet aussitôt à l'air et le fait vibrer : cela produit le son que tu entends par tes oreilles.

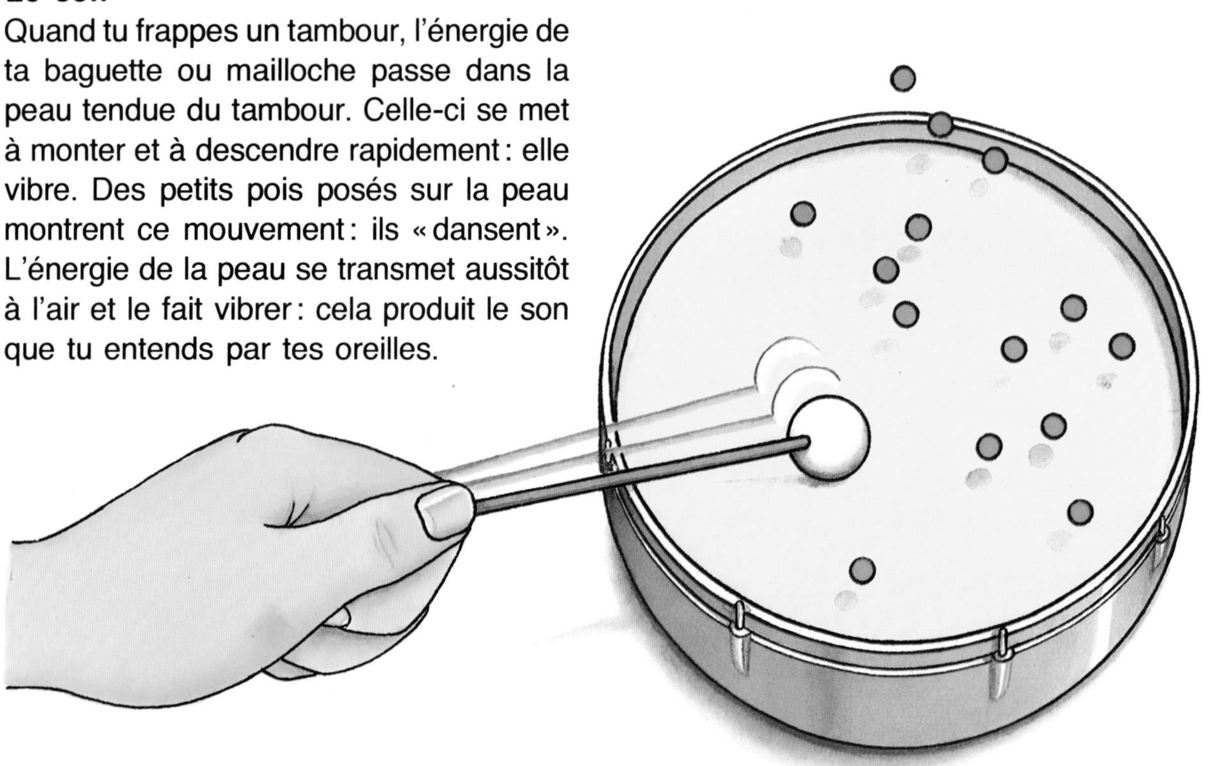

L’énergie du vent fait tourner l’éolienne, qui actionne une pompe à eau.

# ÉNERGIE POTENTIELLE ET CINÉTIQUE

Si tu tiens un poids en l'air, au bout de ton bras tendu, le poids ne semble pas avoir d'énergie. Mais si tu le laisses tomber, il peut effectuer un travail : il produit par exemple un enfoncement dans la terre. Or, s'il effectue un travail, cela montre qu'il avait de l'énergie.

Avant que le poids tombe, on dit qu'il a de l'« énergie potentielle » : elle provient de la position du poids à une certaine hauteur. Quand il tombe et s'approche de plus en plus du sol, il a de moins en moins d'énergie potentielle. Mais nous savons que l'énergie ne se perd jamais : où est passée alors l'énergie potentielle ? Elle s'est changée en mouvement, ou « énergie cinétique », du poids qui tombe. L'énergie potentielle est donc une sorte d'énergie immobile, mais qui peut produire brusquement une autre énergie.

Un archer qui se prépare à lancer une flèche fait un travail sur son arc pour le tendre : il courbe l'arc et lui donne ainsi une énergie potentielle. Dès que l'archer lâche la corde de l'arc et la flèche, l'arc reprend sa forme première, en dégageant son énergie potentielle : elle est transmise à la flèche sous forme d'énergie cinétique. La flèche vole grâce à l'énergie que l'archer a donnée à l'arc.

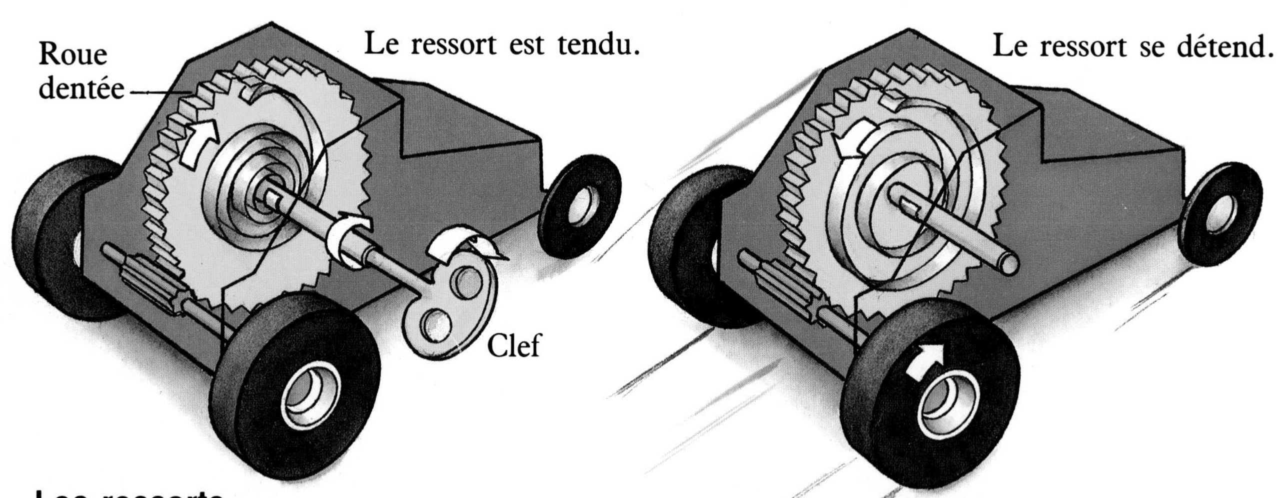


**Les ressorts**
Un ressort peut effectuer un travail. Le dessin ci-dessus montre comment le ressort d'un jouet est tendu lorsqu'on tourne la clef. Le ressort a reçu ainsi une énergie potentielle. Quand il se détend, il produit de l'énergie cinétique : il fait tourner la grande roue dentée, qui entraîne la petite et fait ainsi tourner les roues du jouet.

L'archer qui courbe son arc lui donne de l'énergie potentielle.

# FEU ET COMBUSTION

Lorsque quelque chose s'allume et brûle, cette combustion est un autre exemple de changement de l'énergie. Tu peux produire du feu en frottant deux bâtonnets secs l'un contre l'autre. Le travail que tu fais sur les bâtonnets leur donne de l'énergie qui les échauffe : à la longue, ils finissent par s'allumer et brûler. Certains peuples obtenaient du feu de cette façon. Mais comme il est très difficile d'allumer ainsi un feu, nous employons d'ordinaire des allumettes. Leur tête contient des produits chimiques spéciaux. Quand elle est frottée contre une surface rugueuse, les produits chimiques sont échauffés et s'allument beaucoup plus vite que le bois, et ils transmettent le feu au bois de l'allumette.

Avec de l'oxygène

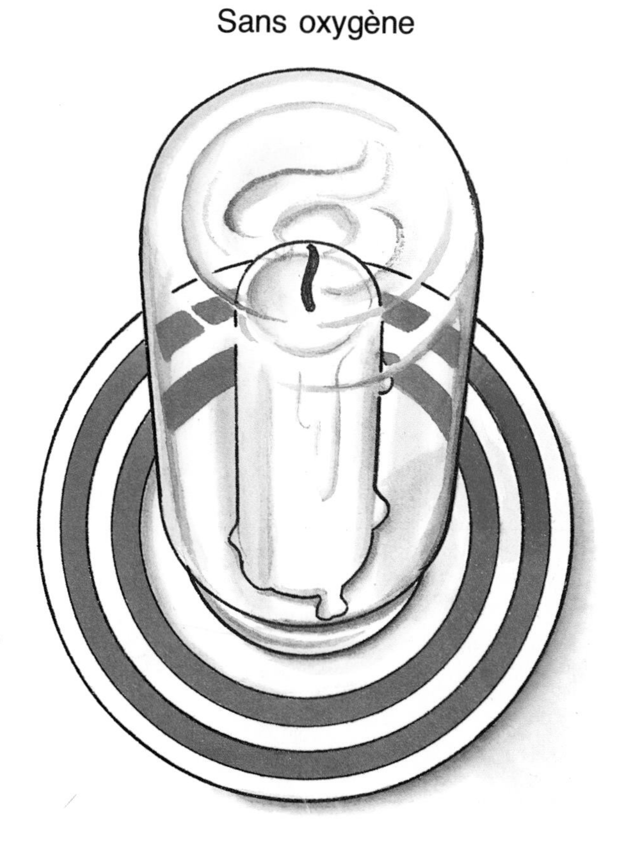

Sans oxygène

Les matières ne peuvent brûler sans oxygène. L'air contient de l'oxygène. La stéarine, matière blanche de la bougie, consomme un peu de cet oxygène pour brûler : cela produit la flamme. Si un bocal de verre est retourné au-dessus d'une bougie qui brûle, sa flamme vacille bientôt et puis s'éteint. Quand tout l'oxygène du bocal est consommé, la bougie ne peut continuer à y brûler.

Quand une matière brûle, son « énergie chimique » se transforme en chaleur, ou « énergie thermique ». La matière elle-même est transformée, et elle ne peut pas redevenir ce qu'elle était : le changement est dit « irréversible ». C'est pourquoi le feu, qui est souvent très utile, peut être aussi dangereux : il détruit les maisons et les forêts et tue les êtres vivants. Mais pour produire et entretenir un feu, il faut à la fois une haute température et de l'oxygène : si on supprime l'un ou l'autre de ces éléments, le feu s'éteint. L'eau, projetée sur un objet qui brûle, le refroidit et empêche l'oxygène d'y arriver : c'est pourquoi il s'éteint. Le sable, la terre et d'autres matières peuvent aussi être employées pour éteindre le feu et étouffer les flammes.

La mousse projetée sur un objet empêche l'oxygène de l'atteindre.

# LES COMBUSTIBLES

Un combustible est une matière qui dégage de l'énergie quand elle brûle avec de l'oxygène. Le charbon, le pétrole et le gaz naturel proviennent de restes de plantes et d'animaux morts depuis longtemps : on les appelle des « combustibles fossiles ». Ceux-ci ont mis des millions d'années à se former, et on ne peut les reconstituer quand ils ont été employés. Nous avons vu que l'énergie du Soleil passe dans les plantes qui grandissent, et les plantes mortes deviennent du charbon. Quand celui-ci est brûlé, une partie de l'énergie solaire qu'il contient est dégagée sous forme de chaleur.

Le pétrole est un combustible très précieux, qui se trouve dans le sol à grande profondeur. À sa sortie du sol, le pétrole brut est un liquide épais et noirâtre, qui doit être raffiné avant d'être employé. Plusieurs combustibles peuvent être produits à partir du pétrole brut, par exemple l'essence pour voitures et le kérosène pour les moteurs à réaction des avions. Actuellement, de nouvelles matières sont employées pour fournir de l'énergie : ce sont les « combustibles nucléaires », tels que l'uranium. On les appelle « combustibles », bien qu'ils ne consomment pas d'oxygène.

**Brève histoire du pétrole**

1. Il y a des millions d'années, de petites plantes et des animaux, différents de ceux d'aujourd'hui, vivaient dans la mer. Grâce à la lumière solaire, les plantes formaient des matières chimiques à partir de l'eau, et du gaz carbonique et des minéraux dissous dans l'eau. Les animaux mangeaient ces plantes et absorbaient leurs matières.
2. Les plantes et animaux marins qui meurent tombent sur le fond marin et s'y accumulent. Leurs restes sont peu à peu recouverts de couches de sable et de vase.
3. Le sable et la vase deviennent des roches dures, qui pressent fortement sur les restes. Ceux-ci, enfouis à grande profondeur, s'échauffent et deviennent finalement du pétrole et du gaz naturel.

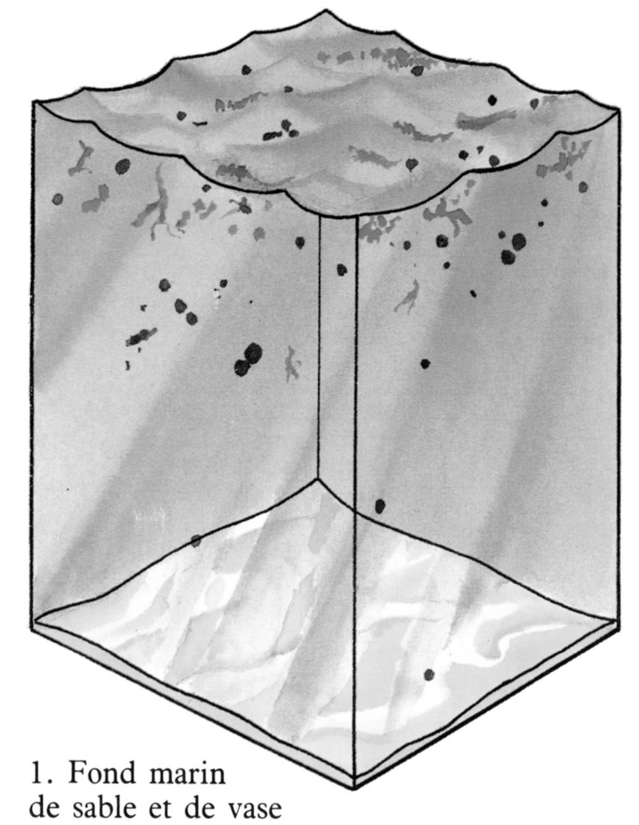

1. Fond marin de sable et de vase

Cette tour de forage permet de chercher du pétrole dans le fond marin.

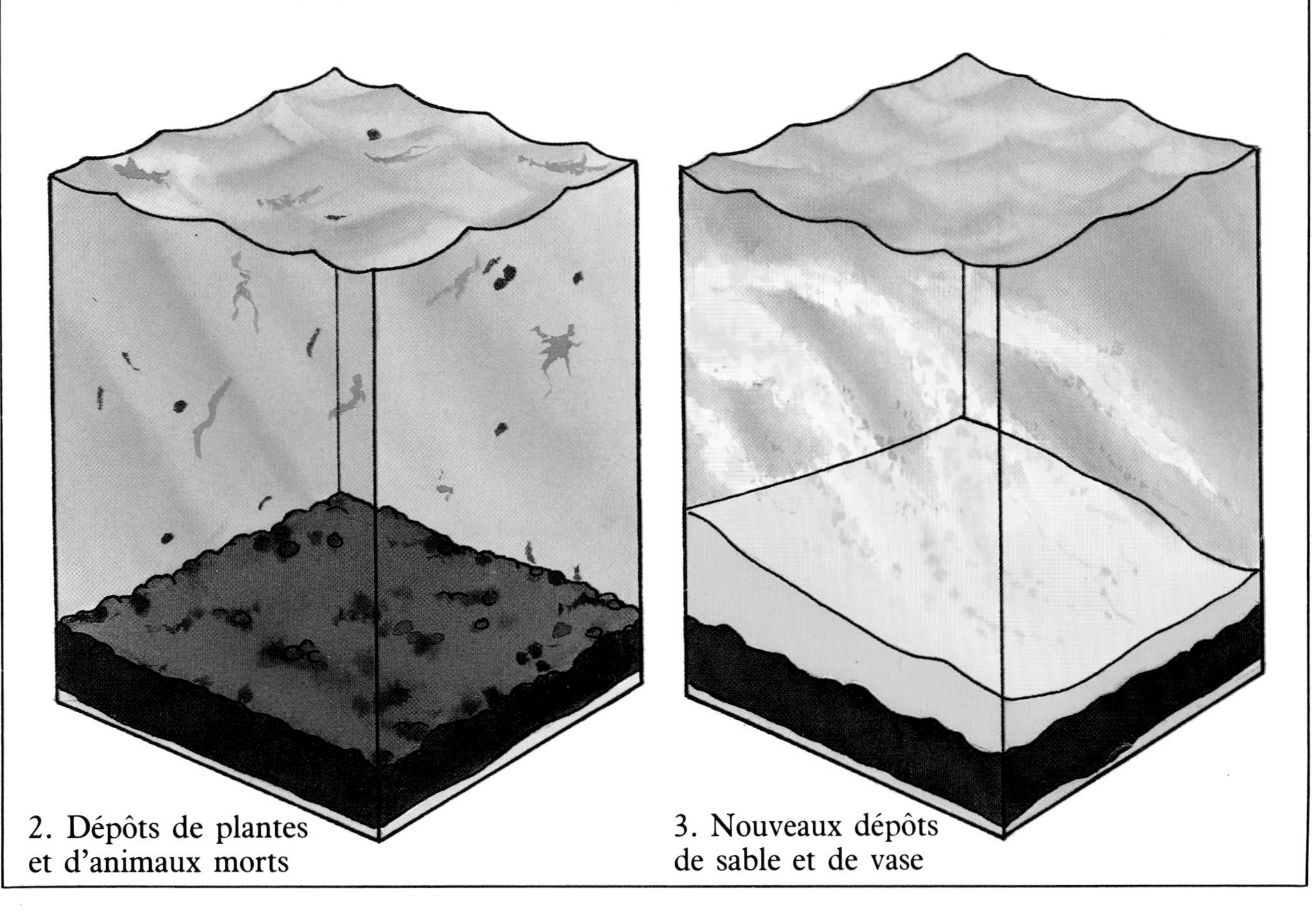

2. Dépôts de plantes et d'animaux morts

3. Nouveaux dépôts de sable et de vase

# LA CHALEUR

La chaleur permet de transporter l'énergie d'un lieu vers un autre. Elle déplace toujours l'énergie du lieu le plus chaud vers le lieu le plus froid. Ainsi, l'énergie d'une tasse de boisson chaude passe dans l'air froid qui l'entoure : la boisson se refroidit et l'air devient plus chaud.

La chaleur peut se déplacer de trois façons différentes. L'air qui se trouve au-dessus d'un sol chaud est chauffé par lui et monte. De l'air froid vient alors prendre sa place. Dans ce cas, la chaleur est transportée d'une place vers une autre par le déplacement de l'air. Ce type de transport de la chaleur se produit dans les gaz et les liquides ; il est appelé « convection ». Quand un planeur tourne dans les courants de convection d'air chaud qui monte, il peut rester plus longtemps en l'air. Dans un corps solide, la chaleur se déplace d'une autre façon du point le plus chaud vers le point le plus froid : elle passe à travers le corps, par « conduction ». La poêle où nous cuisons des aliments transmet ainsi la chaleur de la flamme ou de la plaque. Enfin, la chaleur du Soleil nous parvient en traversant l'espace, par « rayonnement ». Les radiateurs électriques à réflecteur nous chauffent ainsi.

**Convection**
L'eau qui touche le fond du poêlon placé sur le feu s'échauffe d'abord : elle monte en formant des « courants de convection » indiqués par les flèches.

**Conduction**
Quand une source de chaleur chauffe une lame de couteau à une place, la chaleur se transmet de là dans toutes les directions, en passant dans le métal.

**Rayonnement**
Dans un radiateur électrique à réflecteur, la plus grande part de la chaleur produite est rayonnée directement ou réfléchie par le miroir de l'arrière.

L'air chaud qui monte transmet la chaleur par convection. La conduction fait fondre le métal.

Le Soleil nous chauffe par rayonnement : il envoie son énergie sous forme de radiations.

# LA TEMPÉRATURE

Nous avons souvent besoin de savoir à quel niveau de chaleur ou de froid se trouve exactement un objet : cela s'appelle sa « température ». Celle-ci se mesure en degrés Celsius (°C), ou encore en degrés Fahrenheit (°F) dans les pays de langue anglaise. La température de notre corps est d'environ 37 °C (98,6 °F), sauf si nous sommes malades. Même si l'air qui nous entoure est plus chaud ou plus froid, notre corps a des moyens pour garder sa température. Ceci n'est pas le cas pour tous les animaux : ainsi les reptiles et les poissons ne peuvent régler leur température, et ils prennent celle de ce qui les entoure (air, sol, eau...).

Les diverses températures peuvent changer les matières. Ainsi, beaucoup de matières existent en trois formes ou « états » : solide, liquide ou gazeux, selon leur température. L'eau gèle à 0 °C (32 °F), et devient alors un solide. Si elle est chauffée à 100 °C (212 °F), elle bout et devient un gaz : la vapeur d'eau. Ces températures de congélation et d'évaporation sont différentes pour chaque matière.

Nous sentons par notre peau si une matière est chaude ou froide, mais sans pouvoir indiquer sa température exacte. La peau de chacune de nos mains peut nous donner des indications différentes, même si elles sont plongées dans la même eau.

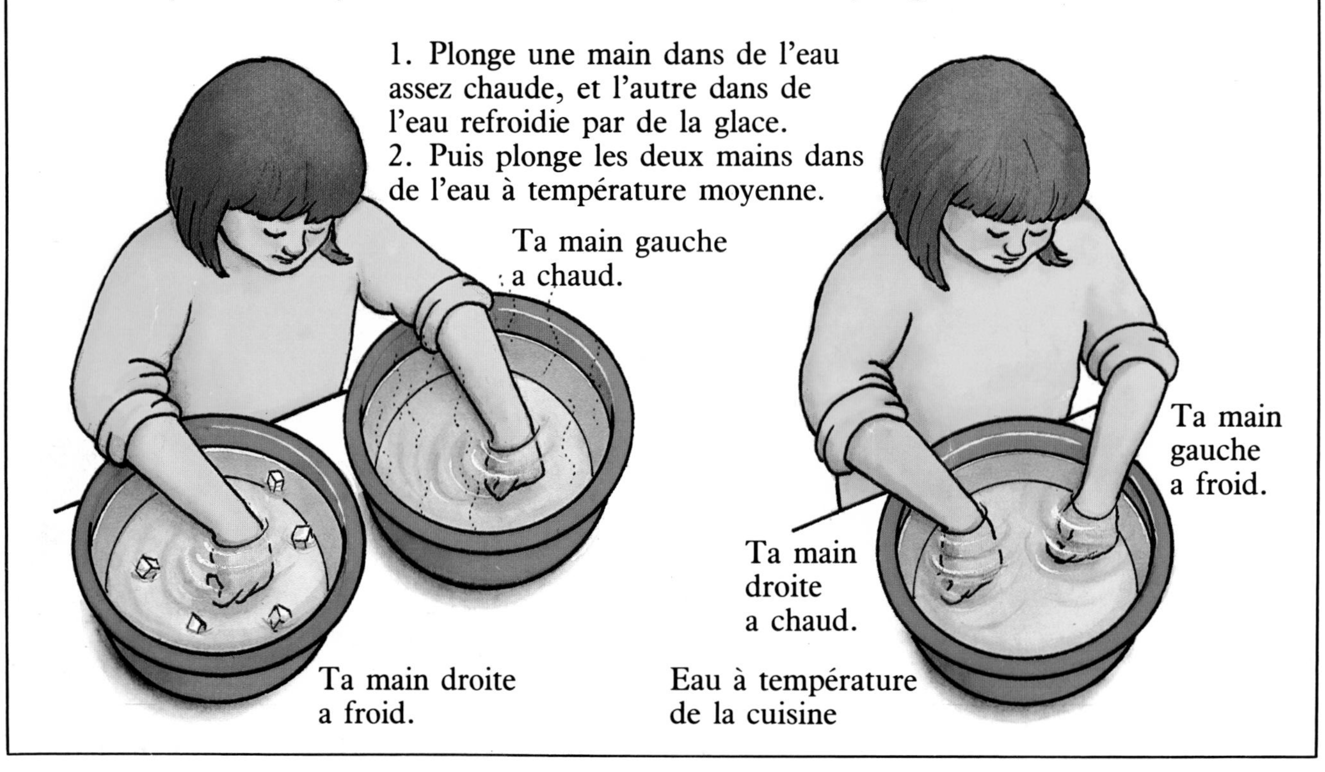

# LE THERMOMÈTRE À MERCURE

La température peut être mesurée au moyen d'un thermomètre. Cet instrument est fait en verre. Il comprend, en bas, une petite cuvette pleine d'un métal liquide, le mercure. Celui-ci peut monter dans un fin tube au-dessus de la cuvette. Quand le mercure est chauffé, il se dilate et monte plus ou moins haut dans le tube, selon la température. Une échelle graduée est placée derrière le tube, et elle porte des chiffres sur les graduations : ceux de gauche indiquent les degrés Celsius (°C), et ceux de droite les degrés Fahrenheit (°F). Pour connaître la température, il faut regarder jusqu'à quelle graduation le mercure monte dans le tube. Quand la cuvette est plongée dans de la glace fondante, le thermomètre marque 0 °C (32 °F) ; quand elle est plongée dans de l'eau bouillante, il marque 100 °C (212 °F).

La photo du haut montre un geyser. Il est produit par de l'eau qui s'est infiltrée profondément dans le sol ; elle y a été chauffée et s'est mise à bouillir, et la pression de la vapeur d'eau la fait jaillir à la surface.

La photo du bas montre les blocs de glace qui se forment dans l'eau quand sa température est sous le point de congélation (0 °C).

# DILATATION ET CONTRACTION

Si tu ne parviens pas à dévisser le couvercle métallique d'un bocal, verse sur lui de l'eau chaude, et il se dévissera plus facilement. Les objets deviennent en effet un peu plus grands quand on les chauffe : on dit qu'ils se dilatent. C'est pourquoi le couvercle chauffé serre moins.

Les métaux se dilatent un peu plus que les autres matières. Les ingénieurs doivent en tenir compte quand ils construisent des ponts : leurs parties métalliques se dilatent durant les étés chauds, et pour éviter qu'elles se courbent et se tordent alors, il faut laisser des espaces entre elles. Les rails des chemins de fer se dilatent aussi par temps chaud : on les pose avec des espaces entre eux ; si la chaleur est telle que leurs bouts se touchent, les rails se déforment et se déplacent.

Quand un métal est refroidi, il devient plus petit : on dit qu'il se contracte. Les fils métalliques portés par les poteaux télégraphiques pendent mollement : ainsi, lorsque le froid de l'hiver les contracte, ils ne risquent pas de se tendre et de casser parce qu'ils sont trop tendus.

**Un thermostat**

Les thermostats sont employés pour régler la température de divers appareils, par exemple celle d'un four. Du gaz passe par une soupape et brûle dans le four pour le chauffer. Si le four devient trop chaud, le tube de cuivre du thermostat attaché à la soupape se dilate : ceci diminue l'ouverture de la soupape, et moins de gaz peut passer. Quand le four se refroidit, le tube de cuivre du thermostat se contracte : ceci a comme effet d'ouvrir plus la soupape. Alors plus de gaz peut passer et brûler dans le four, et sa température monte de nouveau. Un réglage automatique se fait donc.

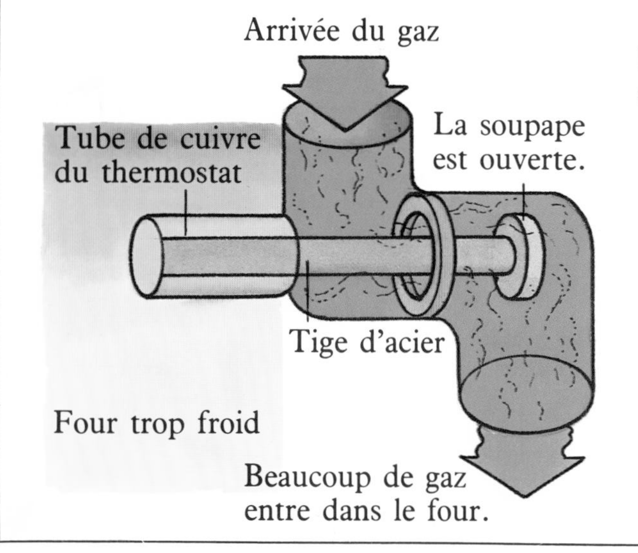


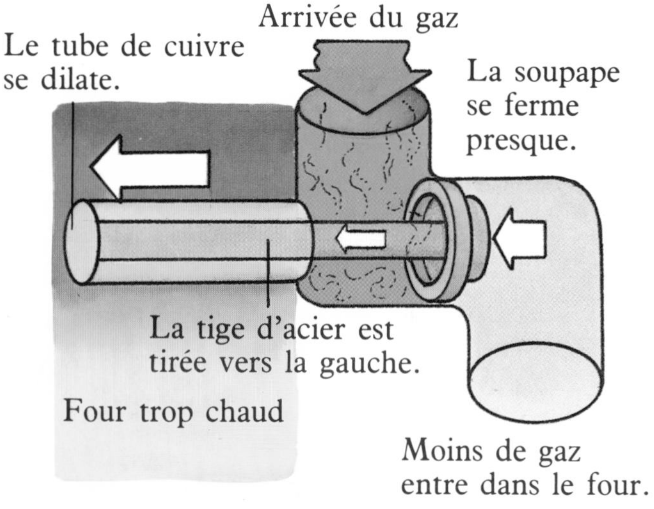

Les ponts sont construits avec des fentes entre les poutres, pour qu'elles puissent se dilater.

# ISOLANTS ET CONDUCTEURS

La chaleur passe facilement à travers certaines matières, comme par exemple le cuivre et les autres métaux : on les appelle des « conducteurs ». Si tu touches du cuivre, il paraît froid, car il laisse passer facilement la chaleur de ta main. D'autres matières, comme par exemple le bois et le plastique, laissent passer la chaleur beaucoup moins vite ; elles semblent à cause de cela plus chaudes, et on les appelle des « isolants ». Elles gardent la chaleur et protègent du froid.

L'air est un bon isolant. Les vêtements de laine contiennent beaucoup d'espaces où se trouve de l'air, et ils gardent bien la chaleur à cause de cela. Les mammifères qui vivent dans les régions froides ont souvent d'épaisses fourrures où beaucoup d'air se trouve emprisonné. Certains, par exemple les phoques, ont aussi une épaisse couche de graisse qui leur sert d'isolant dans l'eau froide.

Un autre mammifère, l'éléphant, a plutôt besoin de se rafraîchir : ses grandes oreilles forment une surface importante par où la chaleur peut s'échapper de son corps. Un chien qui a chaud ouvre la gueule pour se rafraîchir.

**La bouteille thermos**
Elle permet de garder chauds les liquides chauds, et froids les liquides froids. Cet effet isolant est obtenu grâce à ses deux parois de verre, entre lesquelles il y a du vide (l'air en a été retiré) ; et de plus elles sont couvertes d'une pellicule réfléchissante. Ainsi la chaleur ne peut les traverser ni par conduction, ni par rayonnement. Un bouchon en liège ou autre matière isolante retient la chaleur au goulot.

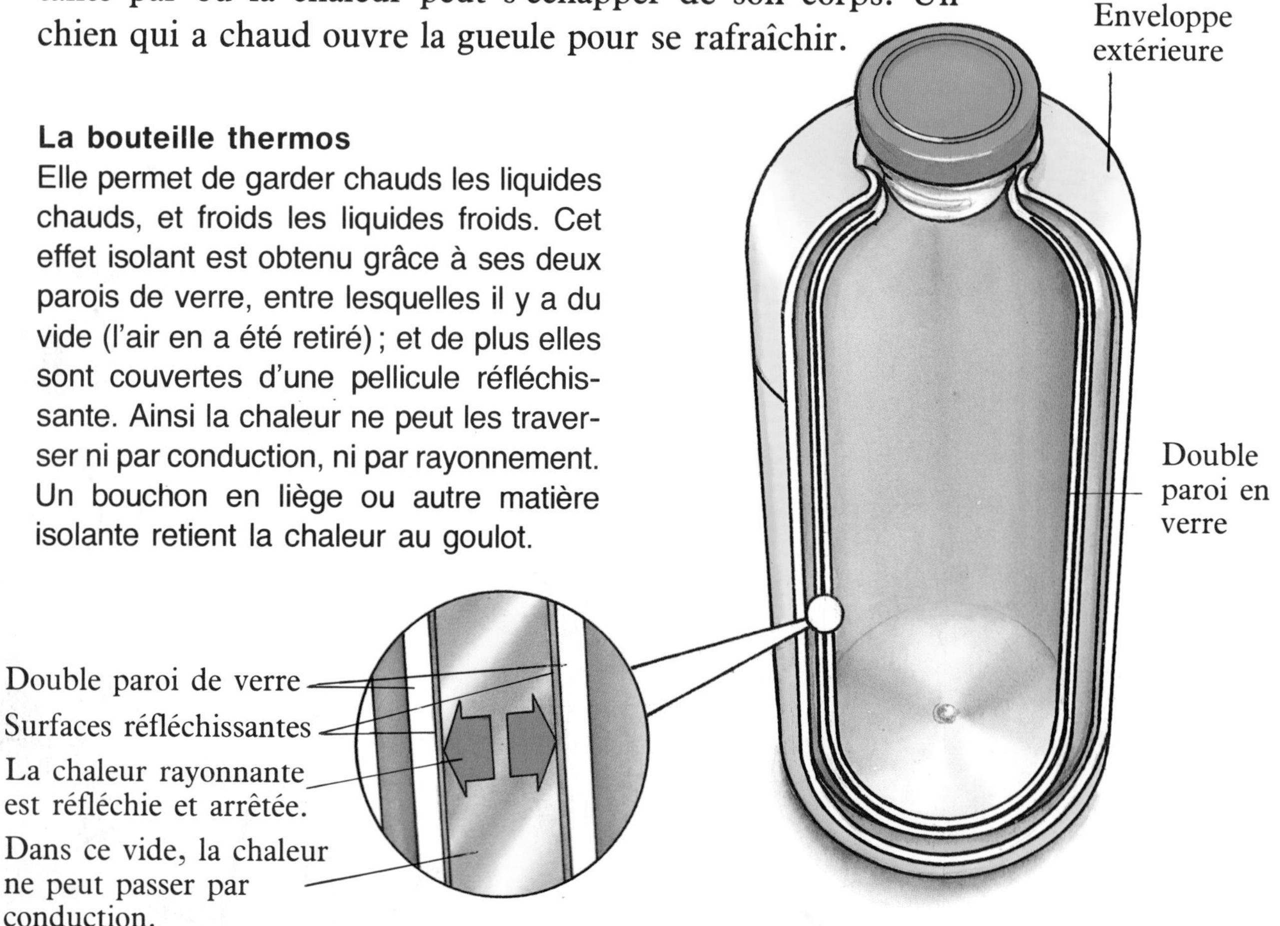

Tous les mammifères doivent garder la chaleur ou bien la fraîcheur de leur corps.

# CHALEUR ET ÉNERGIE À LA MAISON

De l'énergie est utilisée de diverses façons dans nos maisons. L'éclairage et le chauffage, et les cuisinières, frigos et autres appareils, consomment de l'énergie. Dans la plupart des maisons, c'est l'électricité et le gaz qui font fonctionner la plupart des appareils. En certaines régions du monde, d'autres combustibles, comme le charbon et le bois, servent encore au chauffage et à l'éclairage.

Dans les régions froides, la chaleur va toujours de la maison vers l'air extérieur qui est plus froid. Des maisons comme celle de la page suivante utilisent divers systèmes isolants, pour freiner ce passage de la chaleur vers l'extérieur. Ils permettent de réaliser d'intéressantes économies d'énergie dans le domaine du chauffage.

Dans les régions chaudes, on tâche de garder la chaleur trop importante du Soleil hors des maisons. Elles ont pour cela de gros murs, qui servent d'isolants, et des volets ferment les fenêtres aux heures les plus chaudes, pour empêcher les rayons solaires d'entrer dans les maisons.

La peinture blanche de ces maisons réfléchit les rayons solaires.

Cette maison reçoit par des tuyaux souterrains l'eau, le gaz et l'électricité, et ses eaux sales partent par une grosse conduite d'égout (1). Du gaz brûle avec de l'oxygène dans un chauffe-eau (2), et l'eau chaude qui en sort est stockée dans un réservoir isolé (3). De l'eau chaude est envoyée aussi dans les radiateurs du chauffage central (4). La cuisinière (5) peut fonctionner aussi au gaz. L'électricité assure l'éclairage (6). La voiture de la famille consomme de l'essence dans son moteur (7). Une couche centrale d'air sert d'isolant, dans les doubles parois des murs (8) et dans les doubles vitrages (9). Une couche d'isolant est posée dans le grenier (10), et un édredon (11) garde la chaleur dans le lit.

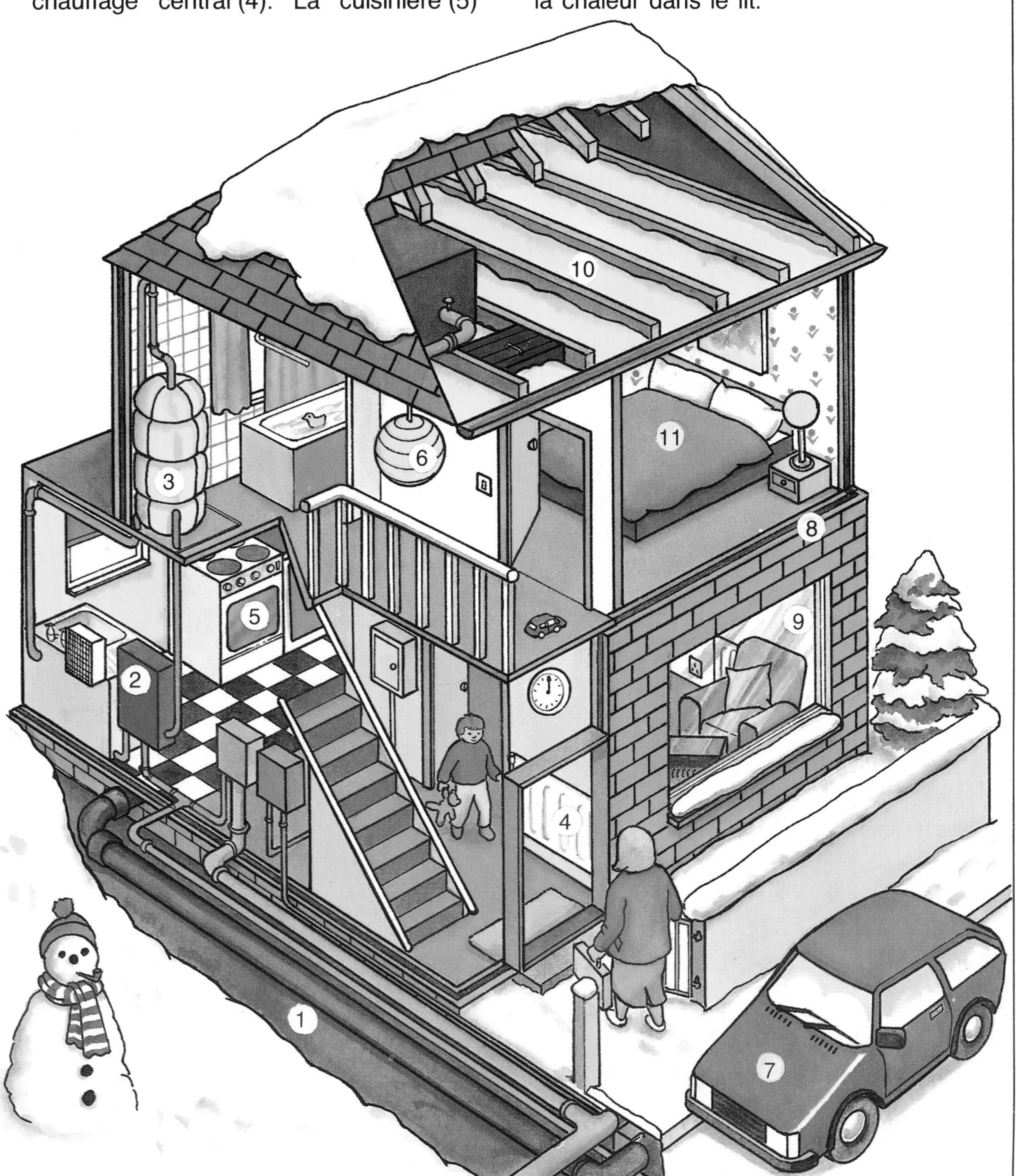

# FABRIQUE UN MOULIN À VENT

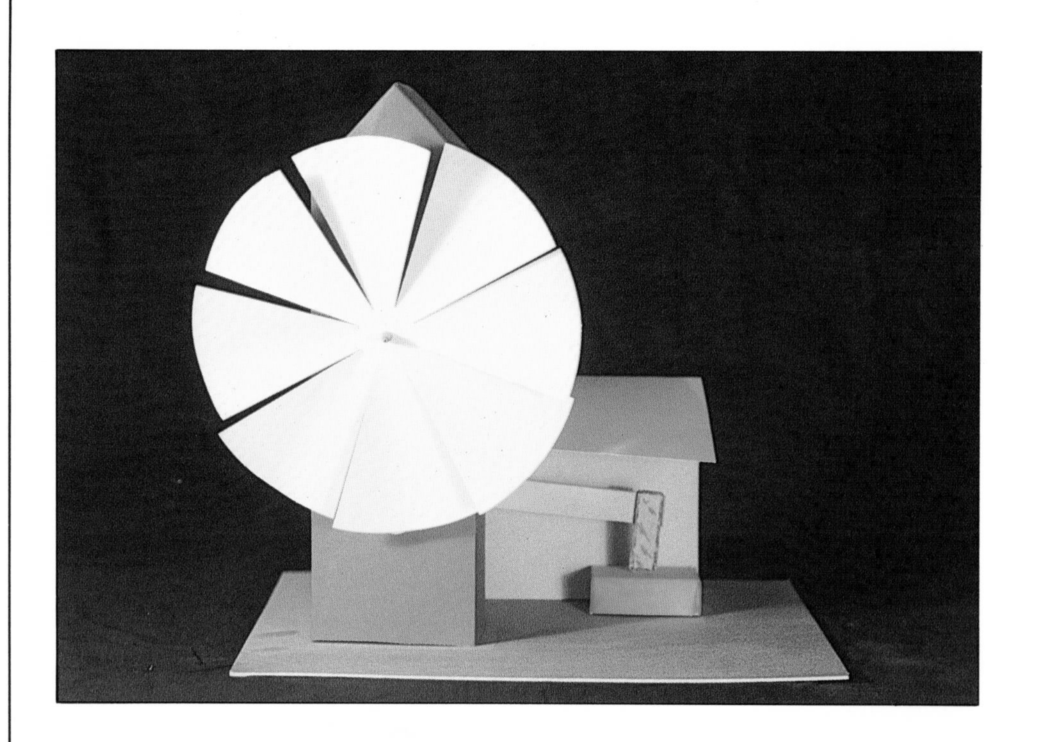

Un moulin à vent permet d'utiliser l'énergie du vent. Dans celui décrit ci-dessous, le vent fait tourner les ailes, et leur mouvement actionne un marteau. S'il n'y a pas assez de vent, tu peux en « fabriquer » en faisant fonctionner un ventilateur ou un sèche-cheveux.

**Il te faudra :**
Une boîte à lait ou à jus de fruit en carton
Deux tiges intérieures en plastique de stylo à bille (Bic)
Deux pailles en plastique
Du carton
Des ciseaux
De la colle

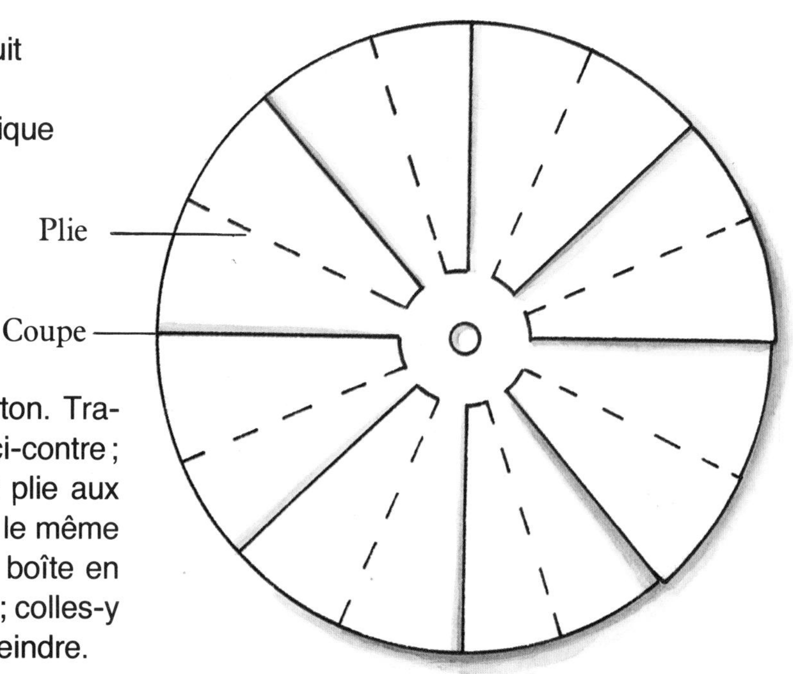


Découpe un cercle dans le carton. Traces-y des lignes comme ci-contre; coupe sur les lignes pleines et plie aux lignes pointillées, toujours dans le même sens, pour former les ailes. La boîte en carton formera la tour du moulin ; colles-y un toit en pointe. Tu peux la peindre.

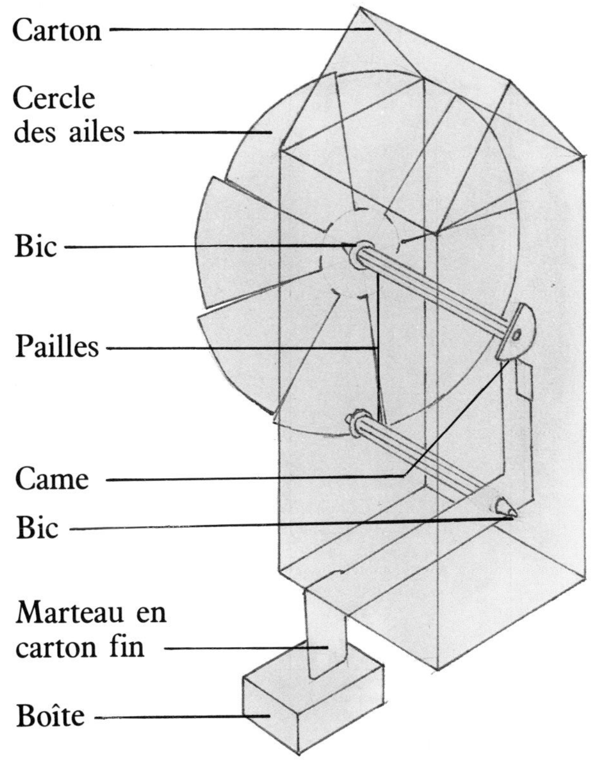


**Placement du mécanisme**

Perce deux trous dans lè côté avant de la boîte, et deux trous dans le côté arrière, bien en face des premiers. Passe une paille en plastique dans chaque paire de trous et coupe ce qui dépasse de trop. Fixe le carton des ailes à l'avant d'une des tiges de Bic, puis glisse-la dans la paille du dessus, et fixe à l'arrière de la tige un demi-cercle de carton. Celui-ci servira de came ou poussoir. Le cercle des ailes et la came doivent être bien serrés sur la tige ; colle-les si c'est nécessaire. Mais cette tige doit tourner facilement dans la paille.

Découpe maintenant un carton pour former le marteau (vois le dessin). À environ 2 cm du bout supérieur, coupe le carton sur la moitié de sa largeur, et plie la demi-largeur du carton à angle droit. Glisse la seconde tige de plastique dans un trou du coin du carton, en l'enfonçant jusqu'à la pointe. Puis glisse la tige dans la paille en plastique du bas du moulin. Quand les ailes tournent, le côté arrondi de la came devra appuyer sur le bout plié du carton, et soulever ainsi le marteau. Mets une boîte à allumettes sous le marteau. Place ton moulin face au vent.

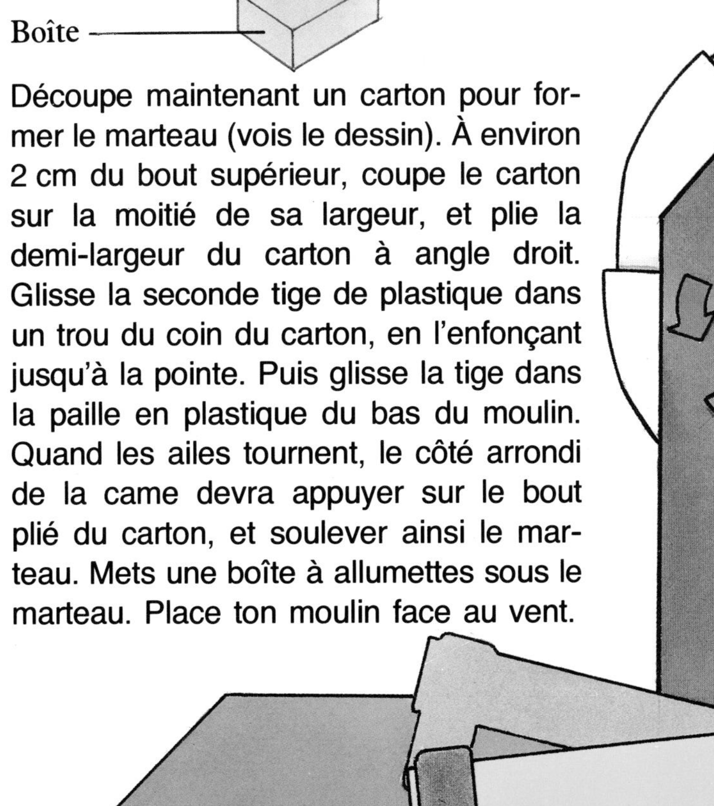

# COMPLÉMENT DE RENSEIGNEMENTS

**Thermomètres à alcool ou à mercure**
Divers genres de thermomètres sont employés dans les maisons, les hôpitaux et les laboratoires. Les thermomètres à alcool conviennent pour mesurer des températures qui ne sont pas trop élevées. Ils sont employés de préférence dans les pays froids, comme thermomètres d'intérieur et d'extérieur. L'alcool qu'ils contiennent est souvent coloré en rouge, pour être bien visible. Les thermomètres à alcool peuvent mesurer des températures plus basses que ceux à mercure, car celui-ci se solidifie à −39 °C.

Les thermomètres à mercure peuvent mesurer des températures assez hautes, où l'alcool se vaporiserait. Les thermomètres médicaux mesurent la température du corps à 1/10e de degré près ; ils sont ordinairement à mercure.

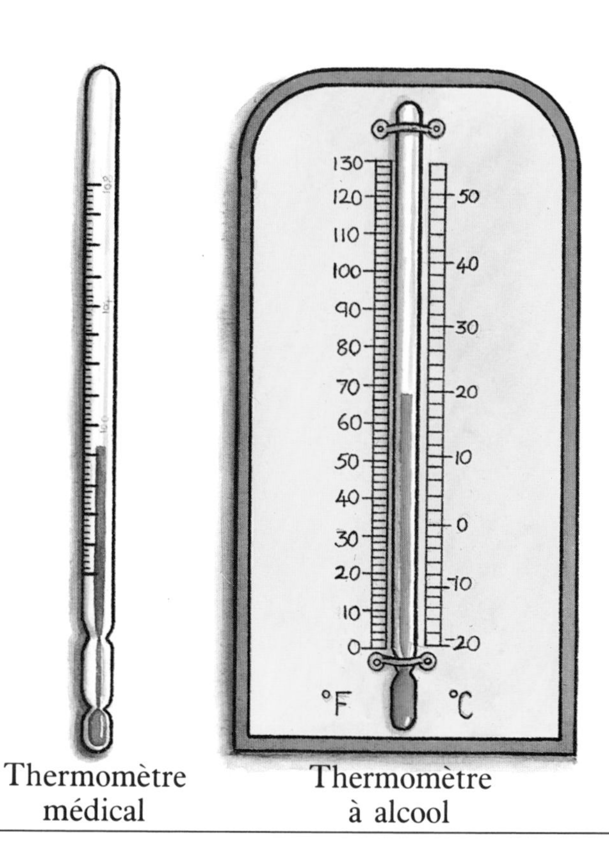


Thermomètre médical

Thermomètre à alcool

**La température et l'énergie**
Supposons qu'un forgeron fasse rougir au feu un clou, et qu'en le tenant au moyen d'une pince il le plonge dans une bassine d'eau froide. La température de cette eau ne montera pas beaucoup. Mais si quelqu'un verse dans une même bassine d'eau froide une bouilloire d'eau bouillante, l'eau de la bassine deviendra beaucoup plus chaude. C'est parce qu'il y a beaucoup plus d'*énergie* dans une bouilloire d'eau chaude que dans un clou chauffé au rouge. La *température* du clou est pourtant beaucoup plus haute que celle de l'eau de la bouilloire. La quantité d'énergie que contient un objet ne dépend pas seulement de sa température, mais aussi de la quantité de matière dont il est fait. Ici, le clou est plus chaud que la bouilloire, mais il contient moins de matière.

# GLOSSAIRE

**Appareil**
Objet fait de plusieurs pièces et destiné à accomplir une certaine fonction.

**Came**
Pièce d'une machine, qui change un mouvement circulaire de certaines pièces en un mouvement alternatif (de va-et-vient) de certaines autres pièces. Dans ton moulin, la came change le mouvement circulaire des ailes en mouvement de va-et-vient du marteau.

**Chauffage**
C'est une action qui fait passer de l'énergie thermique d'un endroit dans un autre.

**Combustion**
Union d'une matière avec l'oxygène, accompagnée d'un dégagement de chaleur. Si la combustion est vive, il y a production de feu et de flammes : on dit que la matière « brûle ».

**Double vitrage**
Il est formé de deux vitres, entre lesquelles une couche d'air est emprisonnée. Cette couche forme un bon isolant.

**Énergie**
C'est la capacité de faire une certaine quantité de travail. L'énergie peut changer de place ou de forme, sans se perdre.

**Gaz carbonique**
Gaz composé de carbone et d'oxygène. Il provient de la respiration et des combustions, et se trouve en petite quantité dans l'air. Il est nécessaire aux plantes.

**Irrigation**
Apport d'eau aux terres de culture.

**Isolation**
Procédé destiné à empêcher le passage de la chaleur et du froid, par exemple par la pose d'une couche de matières « isolantes », qui freinent ce passage.

**Minéraux**
Substances chimiques qui se trouvent dans le sol ou sont dissoutes dans la mer. Certaines, comme le magnésium, sont nécessaires à la croissance des plantes.

**Photosynthèse**
Processus employé par les plantes vertes pour fabriquer diverses sortes de sucres à partir de l'eau et du gaz carbonique, grâce à l'énergie de la lumière solaire.

**Raffinage**
Purification par séparation des impuretés.

**Soupape**
Appareil qui règle le passage d'un liquide ou d'un gaz à travers une ouverture ou un tuyau : il le permet d'ordinaire dans une direction, et pas dans l'autre.

**Travail**
C'est le déplacement d'un objet, par une force qui agit sur lui. Pour exécuter un travail, il faut employer de l'énergie.

**Vase**
Boue déposée par l'eau, par exemple au fond des cours d'eau et de la mer.

**Vibration**
Mouvement rapide de va-et-vient d'un objet ou d'une matière, telle que l'air.

**Vide**
Espace où il n'y a rien, pas même de l'air.

# INDEX




Tu trouveras l'explication de quelques mots difficiles dans le *Glossaire* de la page 31.

Consulte aussi le *Sommaire* de la page 5, pour retrouver les grandes divisions et les points principaux de ce livre.



**Origine des photographies**
Couverture et pages 4/5, 7, 8, 13, 19 (2), 21, 23, 25 (petite) et 26 : Tony Stone Associates ; page de titre et pages 19 et 21 : Susan Griggs Agency ; page 6 : Allsport ; page 11 : Peter Fraenkel ; page 15 : Zefa ; page 17 : Spectrum ; page 25 : Survival Anglia ; page 28 : Cooper-West.